KB171660

40이 되기 전에

마흔을 앞둔 아이 둘 엄마의 본격 자아 성찰 에세이

40이 되기 전에

발 행 | 2024년 5월 30일

저 자 | 블루챔버

펴낸이 | 한건희

펴낸곳 | 주식회사 부크크

출판사등록 | 2014.07.15.(제2014-16호)

주 소 | 서울특별시 금천구 가산디지털1로 119 SK트윈타워 A동 305호

전 화 | 1670-8316

이메일 | info@bookk.co.kr

ISBN | 979-11-410-8745-6

www.bookk.co.kr

열아홉살,
싸이월드에 백문백답을 적던
시절이 있었다.
프로필
백문백답
1. 이름 : 박XX
2. 성별 : 여자
3. 키 : 160 안됨
4. 몸무게 : 비밀
...
나의 미니홈피

백가지 질문 중 이런 질문이 있었다.
88. 몇 살까지 살고 싶어?

나는 당당하게 이렇게 적었다.
마흔.

그리고 지금 나는
어느새 서른아홉 살이다.
..세월 무엇?
..내년이면 나는 마흔이 된다.
슥
슥
몇 살까지 살고 싶어?
마흔.
백 살까진 살아야지!

프롤로그

나에게 '마흔'은 아득히 먼 숫자였던 것 같은데, 정신없이 살아가다 문득 고개를 들어보니 어느새 내가 서른아홉인 걸 깨달았다. 이게 뭐지? 정말 내가 내년에 마흔이라고?

스물아홉에서 서른으로 넘어가던 때와는 확연히 다른 느낌이다. 그래도 그때는 몸이 아픈 건 없었는데... 올해는 연초부터 대상포진도 걸리고 감기도 자주 걸리고, 몸이 하나둘씩 고장 나는 것 같다. 건강한 식습관과 운동이 '선택'이 아닌 '필수'가 되어가는 걸 체감한다.

이렇게 나에게도 마흔이 다가오는구나, 생각하며 그동안 내가 하고 싶어 했던 여러 버킷리스트들을 떠올려 보았다.

그중 가장 하고 싶었던 건 '내 인생을 정리한 에세이북 만들기'였다. 이렇다 할 성공을 거둔 것도 아니고 그저 평범한 주부인 나이기에 남들이 보면 자의식 과잉이라 할 수도 있겠지만 나에게 그런 건 중요하지 않다. 정말로 순수하게 오로지 '나'를 위해서 나를 돌아보는 시간을 갖고 정리해 보고 싶은 것이다.

지금의 나는 마흔이 되기 전, 서른아홉이다. 미래의 나야, 보고 있니? 이 책이 흑역사가 될지도 모르겠지만 후회는 절대 안 할 것이다. 한 번 시작해 보자.

3부 '나'를 이제야 알아가는 30대

1부 '나'를 정의하는 단어들

화목한 집 첫째 딸

나는 동갑내기 부부인 부모님의 첫 번째 딸로 태어났다. 친구 사이에서 연인이 된 엄마와 아빠라서 그런가 집안 분위기는 항상 장난스럽고 화기애애했다. 조용하지만 성실한 스타일의 아빠와 외향적이고 털털한 스타일의 엄마.

매일 아침 7시, 아침뉴스를 틀어놓고 다 같이 밥을 먹다 보면 꼭 한 번씩 아빠의 아재 개그가 튀어나왔다. 어렸을 땐 그런 아빠가 재미있어 깔깔깔 웃느라 바빴다. 그러다 점차 커가면서 나와 남동생도 아재 개그 모드를 자연스럽게 장착해버렸다. 다 같이 먹는 밥상에선 종종 아재 개그 전투가 벌어졌다. 내가 하나 내뱉으면 이에 질세라 동생이 내뱉고, 다시 아빠가 내뱉고. 크게 웃으면 지는 거라서 애써 정색을 했다.

성인이 되어서도 아빠와 사이가 좋았다. 아빠가 소파에 기대거나 누워있으면 괜히 가서 치대고 기대고 어깨를 주무르거나 옆구리를 찌르며 괴롭히곤 했다. 아빠가 아빠 다리를 하고 앉아있으면 다리 위에 누워 귀를 파 달라고 했는데, TV를 보며 귀를 파던 그 시간이 참 행복했던 것 같다.

지금 아이 엄마가 되어 아이 둘을 키우며 돌아보니, 화목한 가정으로 무탈히 성인까지 자란다는 게 얼마나 어려운 일인지 알겠다. 나의 육아 목표는 소박하지만 어렵다. '더도 덜도 말고 딱 우리 부모님만큼만 키우자.'

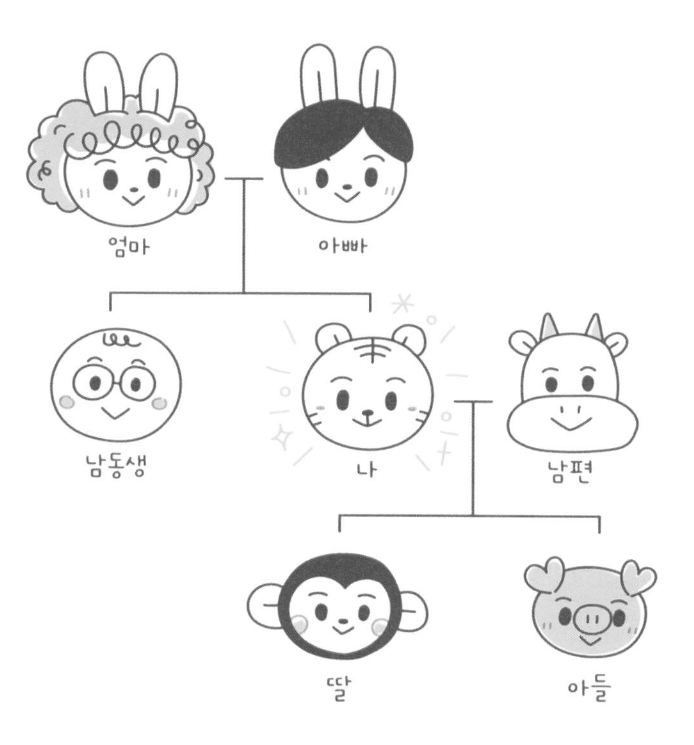
엄마
아빠
남동생
나
남편
딸
아들

소심?
대범?
소심하면서 대범한 사람!
둘 다 나야!

소심하지만 대범해

어렸을 때부터 내성적이었던 나는 친구 집에 놀러 가면 그 집 책장에 있는 책을 꺼내 읽느라 바빴다. 조용하고 자기표현을 크게 하지 못하고 낯도 꽤 가렸던 것 같다. 자라면서 친구를 사귈 때에도 여러 명보다는 단짝 친구 한두 명을 사귀는 편이었다.

사춘기를 겪고 고등학생이 되어서는 내가 소심하다는 사실을 깨닫고 다음 카페 '소심한 사람들의 모임'에도 가입했었다. 그런데 재미있는 건 이 카페 사람들이 다들 너무나 소심해서 아무도 글을 올리거나 댓글을 달지 않았다는 것이다. 가입을 한 것 자체가 이미 어마어마한 용기를 낸 것이기 때문이겠지!-나도 마찬가지- 결국 내 안의 소심함은 극복하지 못한 채 성인이 되었지만, 점차 나에게 의외로 대범한 면도 있다는 걸 알게 되었다.

내가 소심해지는 건 대개 인간관계에서였다. 다른 사람의 생각과 마음에 귀 기울이고 배려하고자 신경을 쓰다 보니 눈치도 많이 보게 되고 행동도 소심해졌던 것이다. 그래서 편지도 참 많이 썼던 것 같다. 어쩌면 말보다는 글로 대화하는 게 마음이 편해서 그랬던 건지도 모르겠다.

나는 소심하지만 겁이 많은 건 아니었다. 공포영화를 볼 때나 롤러코스터를 탈 때는 무섭다기보다는 오히려 스트레스가 풀리고 재밌었다. 제왕절개와 담낭 제거 수술을 할 때에도 그렇게 무섭지 않았다. 또한 큰 결정을 내려야 하는 상황에 오히려 강해서,

대범하게 단번에 정하고 크게 후회하지 않는 경우가 많았다.

그래서였을까? 전공을 살리지 않고 좋아하는 일을 하는 방향으로 진로를 정했던 때도 쉽지 않은 선택이었지만 과감하게 밀어붙였고, 회사에 다니며 일을 하면서도 나와 맞지 않는다는 생각이 들거나 장기적으로 봤을 때 별로 좋을 것 같지 않다는 판단이 서면 단번에 퇴사를 했다. 결혼을 하는 일도 그렇게 심각하게 고민하고 결정하진 않았던 것 같다. 내가 선택하고 결정한 일이기에 지금 되돌아보아도 잘 했다는 생각이 든다. 오히려 안 그랬다면 후회했겠다는 생각이 더 크다. 나의 이러한 모습 때문에 겉으로는 소심하고 조용해 보이는데 생각보다 대범하다는 말을 주변에서 많이 들었다.

누구나 소심하고 대범하다. 어떤 부분에서 그런지는 제각각 다르겠지만 말이다. 한 단어만으로 말하기엔 인간은 너무나도 입체적이다.

닮은 꼴 연예인

누구에게나 닮은 연예인 이야기는 있을 것이다. 중학생 무렵의 나는 까무잡잡한 피부에 안경을 쓰고 있었는데 그 당시 강타의 '북극성'이 신곡으로 나왔다. 어느 날 친구들하고 수다를 떠는데 친구 한 명이 문득 날 보더니 "너 강타 닮았다!"라고 했다. 무슨 소리야~ 하고 손을 절레절레 휘저으며 부정했는데, 그 이후로 거울을 볼 때마다 '닮았나?' 하며 괜히 의식해 보기도 했다. 올라간 눈꼬리와 까무잡잡한 피부, 무테 안경 정도가 비슷한 인상을 주지 않았나 싶다.

그러던 어느 날 다른 반 친구가 갑자기 날 찾아 우리 반으로 왔다.

"야, 네가 강타 닮았단 애야? 에이씨~ 아니잖아!"

나는 무어라 대꾸할 시간도 찾지 못한 채 어버버 하며 뒤돌아가는 그 아이의 뒷모습만 보았다. 아니, 이게 왜 소문이 난 거야? 그렇게 닮지도 않았는데 괜히 욕만 먹은 기분이었다. 내가 소문낸 것도 아닌데 괜히 억울하기도 하고.

그렇게 그 일은 작은 에피소드로 짧게 지나갔고, 나는 어느새 대학생이 되었다. 2007년에는 중국 어학연수를 가서 만리장성 앞에서 찍은 사진을 개인 홈페이지에 올렸는데, 인터넷 친구가 댓글을 달았다.

-야! 너 최강창민 닮았는데?

이번에도 또 남자다. 내가 SM 상인가(아님). 이젠 그냥 그러려니 했다. 하지만 그 뒤로 한동안 거울을 볼 때마다 최강창민과 닮았나 안 닮았나 살폈다.

닮았단 게 왜 죄다 남자 연예인이야? 여자 좀 닮았단 말을 듣고 싶다.

그러다 또 시간이 흘러 결혼을 하고 신혼부부가 되었다. 남편과 동네 마트를 가서 물건을 샀다. 카운터에서 계산을 하고 있는데, 마트 직원이 나를 흘끔흘끔 보았다. 계산이 끝날 무렵, 불쑥 이렇게 말했다!

"어머 언니~ 박소담 닮았다!"

드디어(?) 여자 연예인 닮았단 소리를 들었다. 그래, 뭐 그거면 됐다.

집에 와서 남편에게 '나 박소담 닮았어?' 물어봤다. 잘 모르겠단다. 그럼 나 뭐 닮았어? 묻자, 수지 닮았단다. ..응? 오케이, 거기까지. 남편한테 수지로 보이면 됐다, 됐어! 나는 앞으로 수지만 기억하기로 했다.

있..나?

자다가 문득 눈을 뜬다.
내 양 옆에 새근새근 자는 아이 둘.
Z Z
Z Z
내가 언제부터 이렇게 됐지?
Z Z
!?
Z Z

경력단절 전업주부

86년생 호랑이띠. 흘러가는 시간에 맞추어 나는 학생이었고, 직장인이었다. 때론 선생님이기도 했고. 그러다 지금 문득 고개를 들어보니 초등학교 2학년과 유치원생 6살을 자녀로 둔 전업주부다.

나는 이 사실을 깨달을 때면 마음속으로 내적 비명을 지른다.

'이게 무슨 일이지? 내가 벌써 아줌마가 익숙해진 전업주부가 되어서 애들 키우며 살고 있네?'

진짜다. 파릇파릇한 05학번으로 대학생 새내기이던 시절이 엊그제 같은데, 눈 한 번 감았다가 떠 보니 전업주부가 되어 있는 것만 같은 기분이 불쑥 드는 것이다.

결혼을 하고 첫째 아이를 낳은 해가 2016년인데 올해가 벌써 2024년이다. 퇴사하고 재취업을 준비하다가 임신을 한 뒤로 어느새 이렇게 긴 시간을 경력단절로 살게 된 것이다.

디자이너로서의 경력은 단절된 지 오래지만 육아 경력은 거의 십 년이다. 나는 나를 '경력단절'로 바라보는 걸 멈추고 육아 만렙과 요리 만렙에 더 집중해 보기로 했다. 어차피 이렇게 된 거 멋진 전업주부가 되는 거야!

물론 아이들이 더 자라서 손이 덜 가게 되면, 나도 내 일을 다시 시작하고 돈을 벌게 될 것이다. 모든 것은 타이밍이고 다 자기만의 때가 있다. 아직 때가 아닌데 조급해 하다가 이도 저도 되지 않을 바엔, 지금 해야하는 일을 더 열심히 하는 게 낫지 않을까?

그래서 지금의 나는 아이들을 돌보고 끼니 맞춰 잘 챙겨 먹이고, 정서적인 상호작용도 많이 하며 사랑을 가득 주고, 지금 전업주부인 내 삶에 최선을 다하려 한다. 그래서 나중에 아이들이 컸을 때 당당하게 이야기해주고 싶다.

"너네들 낳고 엄마가 온전히 다 키웠어. 그리고 그 시간들은 엄마에게 정말 행복한 시간이었어."

뒤구르기 하며 봐도 INFP

MBTI 16가지 성격 유형 중에 나는 INFP(열정적인 중재자)이다. 가끔은 혹시 바뀌지 않았을까? 싶어서 다시 해보는데 할 때마다 어김없이 INFP가 나온다.

INFP에 대해 위키백과에 검색해 보면 이렇게 나온다.

차분하고 창의적이며 낭만적인 성향으로 보이면서도, 내적신념이 깊은 열정적인 중재자 유형이다.

인간 본연에 대한 애정으로 사람들의 장점을 발견하고, 이들의 가능성을 성취할 수 있도록 도우며, 세상을 더 나은 곳으로 만든다. 하지만 대그룹에 있을 경우 에너지가 쉽게 고갈되는 경향이 있으며, 친밀도가 높은 소수의 사람들과 어울리는 것을 선호한다.

목가적이고 부드러운 성향을 가지고 있으며, 사려 깊고 상냥한 언어를 사용한다. 돈을 많이 버는 일보다는 흥미와 진정한 의미를 느끼는 일을 하고 싶어한다. 그들의 창의성과 상상력을 발휘할 수 있는 음악, 예술, 문학, 철학 등 소위 인문학과 관련된 분야에 특히 재능을 보인다. 갈등을 싫어하며, 타인에 대한 뛰어난 이해력과 세심함으로 중재자의 역할을 부드럽게 수행한다. 기본 성격이 유하고 순수하기 때문에 쉽게 상처 입고 잠적하는 유형이기도 하다.

쿠크다스 멘탈이지만 좋아하는 일에는 누구보다 열정적인 나의 성격을 대변해 주는 듯하다. INFP인 사람은 이런 성격 검사나 테스트를 좋아한다고 하는데 정말 그렇다. 사물뿐만 아니라

인간에 대한 호기심도 깊어서, 주변 내가 아는 모든 사람들의 MBTI도 궁금해하고, 알게 된다면 그것을 잘 기억한다. 같은 상황에서도 다르게 생각하는 게 너무 재밌어서 한동안은 ESTJ인 남편을 탐구해 보기도 했다. 어쩜 이리 나와 정반대인지! 성향이 너무나 달라서 그게 서로에게 매력 포인트가 되어 끌렸던 건 아닐까? 물론 결혼 후 그 '다름' 때문에 싸우기도 했지만 이제는 그 '다름'을 이해한다.

나는 인프피(INFP)라서 좋고, 인프피라서 재미있다. 앞으로 살아가며 성격이 바뀔지도 모르겠지만 지금은 인프피로서 호기심어린 눈으로 주변을 탐구하며 살아가고 싶다.

미친 기억력

나는 사람에 관심이 많은 만큼 만나게 되는 주변 사람들에 대한 기억도 잘 하는 편이다. 흘리듯 지나가는 작은 말들도 놓치지 않고 기억해 놓는데, 일부러 기억한다기보다는 무의식적으로 자연스럽게 머릿속에 저장이 되는 것 같다.

대학교 졸업 후 같은 과 친구들과 수다를 떨다가 '너 신입생 오티 때 보라색 점퍼 입고 있었잖아!'라든가, '우리 그때 중국에서 천진 여행 갔을 때 네가 그런 말 했었잖아!'라고 이야기하면 다들 깜짝 놀란다. 그런 사소한 것까지 기억한다고? 느낄만한 것들을 다 기억하기 때문이다.

기억하고 싶지 않은데 자동으로 기억하기 때문에 안 좋은 점도 많다. 내 인생의 흑역사라든가, 누군가에게 상처받은 경험들이 그렇다. 평소처럼 잘 살고 있는데 불현듯 머릿속에 한 번 떠오르면 그와 관련한 연결고리들이 무수히 많이 생각난다. 그럴 땐 괜히 나 혼자 창피해 하기도 하고, 그때 이렇게 대처했으면 어땠을까 곱씹어 보기도 한다.

기억력이 좋은 건 다른 사람을 섬세하게 챙겨줄 때에는 도움이 된다. 특히 아이를 키우다 보니 더욱 빛을 발한다. 아이의 행동과 말들을 잘 기억하는 덕분에 정서적 교감도 더 풍부한 편이다.

하지만 이건 어디까지나 '사람'과 '사건'에 대한 기억력이다. 애석하게도 숫자나 계산하는 방면에는 이 기억력이 큰 힘을 발휘하지 못한다. 나는 암산도 못하고 무조건적으로 외워야 하는 암기과목에 특히 취약하다. 왜 그런지 이해를 해야만 기억을 할 수가 있다 보니 암기 과목 공부를 할 때는 나만의 암기방법으로 어떻게든 이해를 할 수 있게 만들어서 외우곤 했다. 내 기억력이 좀 더 넓은 분야에 공평하게 적용되었으면 참 좋았을 텐데, 그 점이 아쉽다.

프로 몰입러

무언가에 푹 빠진 기억이 얼마나 있는가?라고 묻는다면 너무 나 많다고 답하고 싶다. 무언가에 한 번 빠지면 꽤 오랜 시간 몰입하는 편인데, 그 몰입의 시간 동안 나는 정말 행복하다.

어린 시절엔 책에 그렇게 몰두했다고 한다. 시간이 지나면서 책에서 만들기나 그림 그리기, 그리고 컴퓨터로 포토샵과 일러스트레이터 작업하기, 더 나아가 웹 디자인까지 나아간 것 같다. 누군가가 시켜서 하는 게 아닌, 정말 내가 좋아서 몰입해서 하는 경험이 많다. 나만 아는 무아지경의 경지에 오르는 그 순간들. 이걸 한 번 경험해 보면 이것만큼 도파민이 폭발하는 일이 또 있을까 싶을 것이다.

지금은 아이패드로 그림을 그릴 때라든가, 무언가 새로운 활동을 구상할 때가 그 몰입의 순간들이다. 이때는 정말 시간 가는 줄 모른다. 다만 아쉬운 부분은, 아이 둘을 양육하다 보니 이 무아지경의 경지가 깨지기 쉽다는 사실이다. 그래도 틈틈이 몰입의 순간을 경험하고자 노력한다. 아이들이 등원 등교해서 없을 때나 잠들어 있는 조용한 새벽 시간이 그나마 가능하다.

요즘은 지금 만들고 있는 이 책 작업에 몰두해 있다. 단기간에 끝나지 않는 작업이기에 쉽지 않지만 조금씩 짬을 내어 작업하다 보면 분명 끝이 나는 순간이 올 거라 믿는다. 나의 짧은 몰입의 순간들이 모이고 모여 한 권의 완성본으로 나오는 그날까지 노력해 봐야지.

불이야!!
어디? 어디?
이불이야!!
펄럭
...
...

아재 개그

누군가는 '아재 개그', '유치한 농담'이라고 하지만 나는 '언어 유희'라고 칭하겠다. 이 시답잖은 말장난이야말로 단어들과 단어 사이의 관계와 시대의 흐름까지지도 아우르는 고급스러운 장난 아닐까. 동음이의어부터 반대말 활용 등 가볍게 치는 말장난 덕분에 화기애애한 분위기를 조성할 수도 있지 않나. 물론 쎄-한 분위기를 조성할 수도 있지만, 그럴 때는 재빨리 농담이라며 먼저 선수를 치고 화제를 빨리 전환하면 된다.

내 안의 '아재 개그'의 창시자는 바로 우리 아빠다. 카레 먹다가 똥 얘기가 나와서 그 이야기로 동생과 수다를 떨면 아빠는 꼭 한 마디 했다. '똥 먹는데 카레 얘기하지 마!'라고. 이와 유사한 농담은 '번둥 천개', '찹쌀~묵! 메밀~떡!'이 있겠다. 지금 보면 이게 뭐야 싶겠지만 어렸을 땐 이게 그렇게나 재미있었다.

지금은 이 '아재 개그'를 아이들에게 쏠쏠히 써먹고 있다. 가끔 재미없다고 정색하긴 하지만, 아직은 꽤나 유용히 잘 쓰인다. 대물림이 잘 된다면 언젠가 아이들이 나에게 '아재 개그' 공격을 할 것이다. 나는 그것을 맞받아칠 준비를 조용히 해야겠다. 순발력 있게, 위트 있게!

집순이의 또깨비 짓

어릴 적 다니던 보수적인 교회의 영향으로 엄마는 주일날에 TV를 못 보게 했다. 그러다 보니 자연스레 이것저것 혼자서 다양한 놀이를 했다. 그림을 그리고 만들기를 하게 된 것도 이 영향이 컸다. 재활용품을 활용해서 필통을 만든다거나, 큰 박스로 인형의 집을 만들기도 하고 클레이로 캐릭터도 만들고 때론 노트 한 권에 만화를 그리고 글을 써서 만화책을 만들기도 했다. 그래도 심심하면 리코더를 불거나 음악 교과서를 꺼내 첫 장부터 끝 장까지 넘기며 크게 노래를 불렀다.

노래를 크게 부르고 있다 보면 어느새 엄마가 내 옆으로 와서 같이 합류했다. 둘이서 고래고래 고음 부분을 소리 지르며 노래를 부르다 보면 묘한 동질감이 들고 정서적으로 충족되는 기분이 들었다. 그저 노래를 같이 불렀을 뿐인데 말이다.

매주 심심한 일요일마다 하던 수많은 놀이들이 지금의 나를 존재하게 해준 건지도 모른다. 방구석에 틀어박혀 무언가에 몰두해 만들기를 하고 있다 보면 꼭 엄마가 이렇게 말했다.

"우리 딸 또 또깨비 짓 하고 있네!"

쓸데없는 짓 한다고 나무라는 것은 아니었고 오히려 나를 기특하게 바라보는 듯한 뉘앙스였다.

그 수많은 '또깨비 짓'을 그저 내버려둔 엄마 덕분에 나는 몰입의 순간을 많이 경험할 수 있었다. 물론 그 '또깨비 짓'은 지금까지도 종종 하고 있고 앞으로도 하게 될 것이다.

침대에 걸터앉아 목이 터져라
노래 부르던 어느 날의 모녀

절대 음감

피아노 학원은 '체르니 100'까지 배우다가 그만두었지만, 교회 점심시간마다 교회에 있는 피아노를 신나게 쳐서 그런지 나에게 어떤 노래든 '다장조'로 칠 수 있는 재주가 생겼다.

전문가급만큼은 아니지만 내 나름의 절대 음감이 생겼다고 칭하겠다. 샾이나 플랫이 붙지 않은 순수한 다장조로의 음악을 바로 칠 수 있게 되다 보니 리코더로도 실로폰으로도 어떤 음악이든 연주할 수 있게 되었다. 특히 동요 방면에서 두각을 나타냈고 초등학교 6학년 때 말도 안 되는 내 주제가를 작사 작곡해 내기도 하였다. 좀 더 배우고 공부했으면 참 좋았을 것 같기도 하다만 뭐 그럭저럭 만족하는 즐거운 취미활동이었다.

중학생이 되면서 교회에서 성가대를 서기도 했는데, 나는 '알토', 남동생은 '테너', 엄마는 '소프라노'를 맡았다. 작은 시골 교회라 성가대 인원이 많지 않았다. 행여 우리 가족이 가족 행사로 빠지는 날에는 성가대의 타격이 꽤 컸다.

성가대 활동은 꽤 재밌었다. '알토'였던 나는 화음을 넣는 재미에 푹 빠졌고, 어떤 노래든 화음을 넣는 연습을 하기도 했었다. 지금은 교회를 다니지 않고 있지만 좋았던 기억들 중 하나다.

여러 활동으로 다져진 나의 절대 음감은 요즘 우쿨렐레를 칠 때 활용하고 있다. 그리고 아이들과 노래를 부를 때 반주를 치거나 노래 제목 맞추기 놀이를 할 때 요긴하게 쓰인다.

피부가 짱짱해

사람마다 각자의 살성을 가지고 있다는 걸 고등학생 때 처음 알았다. 친구들과 장난을 치다가 팔뚝 살을 서로 만져보았는데, 흐물흐물 말랑말랑한 살도 있고 탱탱하고 탄력 있는 살도 있다는 걸 알게 되었다. 나는 후자 쪽이었다. 피부가 좀 짱짱하다고 해야 되려나? 이러한 피부는 유전인 것 같다. 아빠의 팔을 만져보면 매우 짱짱하다. 팽팽하게 살이 쪄서 그런 건 아니라고 누가 말해줬으면 좋겠다.

아무튼 내 짱짱한 살은 임신했을 때 그 위력을 발휘했다. 생각보다 배도 많이 커지지 않았고, 둘째를 제왕절개하러 수술대에 누웠을 때에도 간호사가 내 배를 보더니 '살성이 좋으시네요, 둘째 임신인데도 배가 하나도 안 텄어요.'라고 했다.

심지어 아이들도 나를 닮아서 피부를 만져보면 딴딴한 느낌이 있다. 나는 이걸 잘 몰랐다가 친구 아기를 만나면서 알게 되었다. 친구와 서로 둘째들을 데리고 만났었는데, 우연히 친구 아기의 종아리를 만졌다가 너무 말랑말랑해서 깜짝 놀랐다. 그리고 내 친구도 우리 집 둘째 종아리를 만지고는 매우 단단하다며 깜짝 놀랐다. 친구 아기는 하얗고 말랑한 친구를 닮은 것이었다. 이런 사소한 것까지 다 닮아서 태어나다니 참 신기하다고 느꼈다.

피부가 짱짱하지만 까만 편이다 보니, 한때는 하얗고 말랑한 살을 부러워했다. 하지만 내 피부는 또 내 피부 나름대로 장점이 있는 거니까 이제는 겸허히 받아들이기로 했다. 그저 다음 생에는 하�고 말랑한 피부로 태어났으면 하는 게 소박한 내 바람이다.

소리 없이 강하다

20대 때의 나는 먹는 것을 참 좋아했다. 먹기도 많이 먹어서 친한 언니들이 나와 밥을 먹을 때마다 나에게 '소리 없이 강하다!'라고 항상 이야기했다. 먹는 거에 비해 말랐다는 소리를 들을 정도로 참 많이도 먹었다.

자극적이고 매운 음식들을 좋아했는데 이제는 뒤탈이 두려워 잘 안먹는다. 잘 먹던 시절도 한때였나 보다. 확실히 나이가 드니 조금만 먹어도 살이 더 잘 붙는다. 소화도 잘 안되는 것 같고.. 아직 겨우 서른아홉 살인데 벌써부터 이러면 어쩌나 싶은 마음도 든다.

먹는 이야기와는 별개로 '소리 없이 강하다'라는 타이틀 자체는 마음에 든다. 조용하지만 강렬한 느낌이 드는 문구이며, 평소 내가 바라는 이상향과 가깝기도 하다.

사소한 일들에 요란을 떨며 여기저기 공표하는 걸 좋아하지 않는다. 오히려 묵묵히 내 할 일을 다 한 다음에 누군가가 그런 내 모습을 '발견'하고 놀라워하는 게 더 좋다.

요란한 빈 수레보다는 작아도 가득 차 있는 병 하나가 되고 싶다. 은은하지만 조용히 내 존재감을 뽐내는, 알면 알수록 새로운 매력을 발견할 수 있는, 그런 소리 없이 강한 사람이 되고 싶다.

크고 요란한 빈 수레보다는,

작지만 알찬 병 하나가 좋다.

행복 전도사

내가 살면서 가장 많이 생각하는 주제가 바로 '인생'과 '행복'이다. 도대체 인생이란 뭘까? 도 생각하고 그렇다면 그 인생에서 행복이란 또 뭘까? 도 고심하고 또 고심한다. 정해진 답은 없지만 매번 생각하고 또 생각하게 되는 주제이다.

길다면 길고 짧다면 짧은 삶을 살아오면서 내가 느끼는 '행복'은 흔히들 말하는 '소확행'과 비슷하다. 그저 주변 사람들과 적당히 잘 어울리며 살아가는 것. 그때그때 주어지는 상황들에 충실하며 진심을 다해 살아가는 것. 봄만 되면 어김없이 피어나는 들꽃들에 감사하고 아이들이 휘갈긴 '사랑해'라는 낙서를 소중하게 여기는 것. 그리고 무탈하게 별일 없이 오늘 하루를 잘 보내는 것. 앞으로도 사랑하는 사람들과 맛있는 한 끼 먹으며 편안하게 살아가는 것.

'새옹지마'라는 사자성어도 내가 제일 좋아하는 단어다. 좋은 일이 생겨도 나쁜 일이 생겨도 잘 넘길 수 있게 해주는 고마운 단어라고 생각한다. 지나고 난 뒤에 보면 '나빴던 일' 덕분에 깨달음을 얻기도 하고 그 덕에 무탈한 하루가 얼마나 소중한 건지 새삼 알게 되기도 하니까 말이다.

나에게 '행복'이란 지금처럼 '잔잔한 일상'이다. 그리고 '오늘'이다. 오늘 하루도 그럭저럭 잘 보낸 것에 감사하며 하루를 정리하며 일기를 쓰는 것. 그것만큼 또 행복한 게 어디 있을까 싶다.

닉네임 부자

중학교 1학년 때 인터넷을 알면서, 아니, 세이클럽이라는 사이트에 회원 가입을 하기 시작하면서 나는 아이디와 닉네임을 만드는 재미에 빠졌다. 닉네임을 짓는 일은 마치 나를 다시 태어나게 하는 것과도 같았다. 마음에 안 들면 다시 닉네임을 바꿔서 리셋 시키는 기분이랄까? 온라인 세상에 부캐로 살아가는 재미. 본명과 얼굴을 모르는 사람들끼리 채팅으로 대화하는 일은 어떻게 보면 순수하게 대화에만 집중하게도 만들었고, 그러한 상황에서 서로 불러주는 닉네임은 너무나 중요하게 느껴졌다.

다음 카페와 네이버 카페, 여러 홈페이지 등에 가입을 하면서 나는 수많은 아이디를 만들어 보았다. 흔하지 않은, 발음이 쉽고 예쁜, 그리고 의미도 담긴 그런 아이디를 만들고 싶어서 참 많이 어학사전을 뒤졌던 것 같다. 순우리말, 한자어, 예쁜 영어 단어, 일본어나 불어로도 찾아보고.

돌고 돌아 지금의 아이디에 이르기까지 참 많이도 거쳐갔다. 다행인 건 지금의 아이디에 제일 만족한다는 사실이다.

블루챔버

'블루챔버'는 처음엔 내 개인 홈페이지 이름이었다. '공간'을 나타내는 단어인 space, zone, place 등은 너무 식상해서 다른 단어를 쓰고 싶었다. 단어 사전을 찾고 또 찾다가 chamber 라는 단어에 꽂혔다. '챔버'라는 단어가 어감도 예쁘고 '침실'이라는 공간적인 느낌도 가지고 있어서 마음에 들었다. 그리고 약간 추상적이고 함축적인 의미를 담은 색과 합성어를 만들고 싶었다. 그러다 파란색을 고르게 되었는데, 파란색엔 너무나도 많은 의미를 부여할 수가 있었다. 우울하고 고독한 느낌을 주기도 하고, 맑고 청량한 하늘을 나타내기도 하고, 시원하고 묵직하면서도 깊이감 있는 바다를 나타낼 수도 있고. 무엇보다도 파란색 자체가 너무 예뻐서 이거다 싶었다.

그렇게 내 개인 홈페이지가 탄생했다. 닷컴(.com) 도메인은 이미 있어서 .co.kr 도메인을 구입하게 되었고, 이 도메인은 2005년부터 지금까지 계속 사용하고 있다. 그러고 보니 이 도메인을 거의 20년 가까이 쓰고 있구나! 새삼 깨닫는다.

그 당시 나는 '스노우캣'과 '마린블루스'를 좋아했는데, 당시 그들은 개인 홈페이지에서 그림일기를 연재하고 있었다. 그래서 나도 그림일기를 올려보고 싶은 마음에 개인 홈페이지에 달력 메뉴를 만들었다. 꾸준히 자주 올리지는 못했지만 내 나름대로 열심히 올렸다. 당시의 나는 태블릿 펜이 익숙하지 않아서 마우스로도 그려보고, 여러 시행착오를 거치다가 A4용지에 플러스 펜으로 그린 뒤 스캐너로 스캔을 해 올리는 방법을 채택했었다. 지금 생각하면 손이 많이 가는 노가다 방법이라 할 수 있겠지만, 그 당시에는 이게 그나마 편하게 그려 올릴 수 있는 최선의 방법이었다.

엄마 아빠와 같이 살던 시절, 독립해 자취하던 시절에 가끔씩 그림일기를 그렸다. 회사를 다니며 직장인이 되면서는 그리기가 쉽지 않아 오랜 시간 그리지 않기도 했다. 그러다 본격적으로 그리게 된 건 결혼을 하고 퇴사를 하고 임신을 하면서부터다. 시기도 적절하긴 했지만 이때 아이패드를 산 게, 아니, 애플 펜슬을 쓰기 시작한 게 가장 큰 영향을 주지 않았나 싶다.

어쨌든 나는 2016년부터 다시 그림일기를 그리기 시작했고 지금까지 나름 꾸준하게 '블루챔버'라는 이름으로 활동을 하고 있다. 아마 앞으로도 계속 그려나가지 않을까 생각하는 바이다.

블루챔버로 계속 활동할 수 있게 해주는
9살 슉슉이의 '우리 가족' 그림

2부 '나'도 모르겠는 우당탕탕 20대

무아지경 덕질 라이프

중학생 때부터 가수 '신화'를 좋아했다. 다음 카페와 각종 팬사이트에서 오빠들 사진을 포토샵으로 더 예쁘게 꾸미거나 다양하게 편집해서 올리는 재미에 빠졌다. 그 당시 포토샵은 정말 재미있는 도구였고 내 머릿속에 있는 이미지들을 구현하기에 적합했다. 올린 사진들에 서로 댓글을 달아주다 보니 친한 온라인 친구도 생기기 시작했다. 즐거운 시간들이었다. 어디에 사는지 어떻게 생겼는지 알지 못하는 사람들과 순수하게 '신화'란 관심사 하나로 이렇게나 친밀해질 수 있다니!

방구석에서 TV와 컴퓨터로만 하던 덕질에 시동이 켜진 건, 자유롭게 다닐 수 있는 스무 살 성인이 됐을 무렵이었다. 05학번 새내기의 대학교 생활은 재미가 없었다. 학교 수업이 끝나거나 주말이 되면 나는 온라인 친구들을 오프라인에서 만나는 재미에 빠졌다. 평소에도 문자메시지나 메신저로 시시콜콜한 잡담들을 많이 나눈 덕에 오프라인에서 만나도 크게 어색하지 않았다. 오히려 대학 친구들보다 더 깊이 있는 관계가 되었던 것 같다.

그래도 나의 주 활동 영역은 온라인이었다. 팬사이트를 예쁘게 꾸미고 리뉴얼을 하거나 각종 팬북 표지도 디자인하고 현수막부터 소소한 스티커 굿즈까지 다양하게 팬심으로 만드는 활동들을 많이 했다. 그중 홈페이지를 만드는 일은 나에게 너무나 잘 맞았다.

내 머릿속에 있는 아이디어를 포토샵으로 구현해 내고 파일을 쪼개 저장한 뒤 업로드하고 프로그래밍 코드를 변경해 새로고침만 하면 순식간에 홈페이지를 리뉴얼할 수 있었다. 사람들이 바뀐 홈페이지 디자인이 너무 예쁘다며 와글와글 글을 올려주면 그게 그렇게나 뿌듯할 수 없었다.

온오프라인으로 열심히 활동했던 그 시절을 돌아보면 정말 열정맨이었구나 라는 생각이 든다. 개인 홈페이지부터 팬사이트까지 홈페이지 리뉴얼만 200여 번은 했던 것 같다. 그때의 나는 참으로 순수하고 열정적이고 추진력도 강했다.

'신화'가 좋았고 '신화'로 시작된 다양한 활동도 좋았고 그때 만났던 인연들도 좋았다. 그 시절 알게 된 지인들 중 아직까지 연락하는 사람들도 꽤 많다.

지금은 그때의 팬심은 많이 줄었지만 아직도 그 시절 '신화' 사진이나 영상을 보면 애틋하기도 하고 묘한 감정이 든다. 가끔은 그 시절로 돌아가고 싶다는 생각이 들 때도 있다.

중국 어학연수 중에도 덕질

대학교 2학년을 마치고 1년을 휴학했다. 그리고 친구와 같이 어학원을 통해 중국으로 어학연수를 갔다. 1학기는 대련, 2학기는 북경에서 유학 생활을 했다. 처음으로 엄마 아빠를 떠나 해외로 가게 되니 두려운 마음이 가득했다. 아마 엄마 아빠도 많이 걱정하셨을 것이다.

중국에 가니 덕질은 좀 덜 하겠지, 생각했다. 그러나 청개구리 심리가 발동했다. 나는 아주 느린 인터넷 속도를 참아가며 더 열심히 팬 사이트에 접속했다. 그 해가 하필 또 한국 드라마 호황기라서 하얀 거탑, 마왕, 고맙습니다, 커피프린스 1호점 등을 다운로드해가며 꾸역꾸역 다 챙겨 보았다.

1학기를 보내고 다시 2학기를 보내러 간 북경에서 나는 운명의 중국 친구를 만났다. 당시 내가 다니던 수도 사범대의 1층 로비에 위치한 서점에서 일하던 또우또우(豆豆)란 언니였다.

같은 반 친구의 소개로 알게 되었는데 그 언니가 좋아하는 아이돌이 '신화'라는 게 아닌가! 우리는 국가를 초월해 팬심으로 하나가 되었다. 언니는 한국어를 배우고 싶어하고 나는 중국어를 배우고 싶어 했기에 서로 공부를 도와주기도 하고 긍정적인 방향으로 함께했다. 같이 맛집도 가고 내 생일날 피자에 케첩으로 생일 축하 메시지를 써주기도 하고 참 재미 있는 시간들이었다. 마음이 맞으면 국적과 상관없이 이렇게 서로 편해질 수 있다는 사실을 처음으로 깨달았다. 언어의 한계를 뛰어넘는 건 결국 마음이라는걸.

어학연수 기간이 끝나고 다시 한국으로 돌아와도 한동안은 연락을 했다. 그러다 취직을 하면서 서로 연락이 뜸해지고 자연스레 끊겼다. 그래도 언젠가 어디에서 다시 만나게 될 수도 있지 않을까. 사람 일은 모른다며 애써 희망을 품어 본다.

해골 비니와 카고 바지

누구에게나 있는 흑역사
분명 그때는 괜찮았는데
분명 그때는 봐줄만했는데
돌아보니 얼굴만 붉어지네

해골 비니를 쓰고 링귀걸이를 하고
밀리터리 카고 바지를 입었네
왜 그랬을까
왜 그랬을까

그 시절 디카로 찍었던 셀카들
하드가 날아가서
공중분해되었네

참 다행이다
참 다행이야

이제는 내 기억 속에만 존재하는
그 시절 나의 흑역사

그시절
믹키유천이 썼던
해골비니
힙해보였던
링귀걸이
RL
좋아했던
랄프로렌 티셔츠
군대도 안갔는데
입고 다니던
밀리터리 카고바지

전공과 취미 사이

전망이 좋다는 말을 듣고 중국어과에 지원했다. 고등학교 때 제2 외국어는 일본어를 배웠고 중국어에 대해선 지식이 전무한 상태였다. 때문에 1학년 때 성적은 엉망이었다. 외워야 하는 한자들도 많았고 과 특성상 본문을 통째로 외워 암기해야 하는 것들이 많았다. 무작정 외우는 암기에 취약한 나는 더욱더 괴로웠다. 제2 외국어로 중국어를 배워왔거나 중국에서 살다 온 친구들보다 잘 하기는 어려웠다. 2학년까지 이게 내 길이 맞나를 고민하며 계속 수업을 들었다.

방학 기간에 단기 어학연수를 다녀온 동기들의 실력이 눈에 띄게 향상된 것을 보면서, 나도 어학연수를 다녀와야겠다고 생각했다. 2학년을 마치고 1년의 휴학 기간 동안 중국 어학연수를 간 건 시기적으로도 적절했다. 중국에 머물며 그곳의 문화를 체험하고 여행도 다니고 수업도 들으며 나는 조금씩 자신감을 갖게 되었다.

복학을 하고 3학년 과정을 마치고 4학년에 올라가면서 코앞으로 닥친 취업에 대한 깊은 고민이 시작됐다. 전공을 활용한 취업을 할 것인가, 아니면 내가 좋아하는 것으로 취업을 할 것인가. 그 당시 나는 웹디자인에 심취해 있었고, 자꾸만 웹디자인에 마음이 갔다. '전공도 아닌데 이제 와서 무슨 웹디자이너가 되겠어?' 라는 마음과 '지금이라도 도전해 보면 너무 늦은 것일까?'

라는 마음 사이에서 갈등이 일었다. 그러다가 우연히 TV에서 어느 다큐멘터리를 보았다. 대학을 졸업한 사람들을 대상으로 몇십 년 뒤에 이 사람들 중 전공분야에서 일하고 있는 사람이 얼마나 되나 조사를 했다는 내용이었는데, 전공을 살려 일하고 있는 사람이 생각보다 적었다. 돌고 돌아 결국은 자기가 좋아하는 일을 하고 있는 사람이 많다는 것이었다. 그 다큐멘터리를 보면서 나는 용기를 냈다.

'지금이라도 늦지 않았어. 설령 잘 안되더라도 지금 하고 싶은 걸 해야 나중에 분명 후회하지 않을 거야.'

그래서 4학년에 무모한 도전을 하게 되었다. 부모님을 설득해 웹 포트폴리오 학원을 다니는 걸 허락받고, 홍대에 위치한 디자인 학원을 다니게 된 것이다.

수업 시간표를 몰아서 짜고, 나머지 시간을 포트폴리오 과정 작업하는 것에 활용했다. 경기도 안성에서 고속버스를 타고 고속 터미널로 가서 지하철을 타고 홍대입구역까지 갔다. 왕복 4시간은 걸리는 거리였지만 그 어떤 때보다 열정적이었다. 하고 싶은 게 있다는 것이 이렇게나 행복한 일이었다니! 힘들지만 힘들지 않은 시간들이었다.

디자인 학원에서 포토샵, 일러스트레이터, 플래시, 드림위버를 배우고 웹 포트폴리오 과정을 수강했다. 이미 알고 있던 프로그램들이었지만 다시 처음부터 기초를 쌓아 배웠고, 포트폴리오 홈페이지를 완성했다. 정말 행복했다. 완성한 포트폴리오를 바탕으로 이력서와 자기소개서도 쓰고 본격적으로 웹디자이너로서 취업할 준비를 했다.

완성한 작업물을 들고 학원 원장 선생님과 상담을 했다. 그 당시 작업한 홈페이지 리스트에 슬쩍 그동안 개인적으로 만들었던 팬 사이트와 개인 홈페이지도 링크해 넣어놨었는데, 내 홈페이지를 살펴보던 원장 선생님이 그걸 눌렀다.

"이건 뭐지?"

"아! 그.. 그건 제가 예전에 작업했던 홈페이지들인데, 그냥 한번 넣어봤어요."

그러자 원장 선생님이 심각한 얼굴로 스크롤을 내렸다. 나는 뭔가 부끄럽기도 하고, 그간 내가 만들었던 걸 평가받는 기분이 들자 어찌할 바를 몰랐다.

자세히 살펴보던 원장 선생님이 나를 쳐다보더니 이렇게 말했다.

"와, 이렇게나 많이 만들었다고? 너 정말 좋아서 하는 거구나?!"

그 한마디에 내 안에 억눌려있는 무언가가 팡 하고 터졌다.

나도 모르게 눈물이 줄줄 흘러내리고 결국은 엉엉 울었다. 당황한 원장 선생님이 울지 말라고 휴지를 건네주셨다. 내가 좋아서 하는 일이란 걸 타인에게 인정받는 그 순간 북받치는 감정을 추스르는 게 어려웠다. 어찌어찌 상담을 마치고 집으로 돌아가는 내내 지하철에서도 울고 고속버스에서도 울었다. 울지 말아야지, 할수록 눈물이 더 많이 흘러나왔다. 그날의 눈물은 지금 생각해도 울컥한다.

포트폴리오 과정 준비를 하면서 학과 공부에도 최선을 다했다. 지금은 전공을 살리진 않을 거지만 외국어의 특성상 어떤 식으로든 나에게 강점으로 다가올 거라고 믿었다. 그리고 졸업식 날, 나는 수석 졸업을 하며 유종의 미를 거뒀다.

꿈 때문에 참 많이도 울었던 그날

지금이 아니면 후회할 것 같아서

고등학생 때부터 '현재'가 소중하다고 생각했다. 한 번 지나가면 다시 돌아오지 않는 '오늘'만큼 중요한 건 없다고 느꼈다. 어렸지만 생각은 깊었고 항상 지금을 즐기려고 노력했다. 미래도 중요하지만 그 미래를 위해 현재를 포기하는 건 나에게 어려운 일이었다. 현재를 만족스럽게 잘 지내면 나중에 후회하지 않을 거라 믿었다.

'나는 학생이라 행복해.'

빨리 졸업해서 취직하고 싶다고 말하는 친구들 사이에서 속으로 생각했다. 지금 학생인 시절은 다시 오지 않겠지. 지금 학생인 걸 즐겨야 해.

학생일 땐 학생인 현재를 소중하게 여겼고 직장인이 되었을 땐 직장인이 된 현재를 소중하게 여겼다. 무엇을 하든 내가 중요하게 생각한 포인트는 바로 이것이었다.

'나중에 후회하지 않게 오늘을 살자.'

무언가를 결정할 때 당장의 이익보다는 나중에 지금을 돌아봤을 때 스스로에게 만족할지를 보았다. 현재에 충실하지만, 미래의 나에게 끊임없이 묻는다.

'어때, 지금의 나? 잘 살고 있는 거 맞지?'

지금이 아니면 후회할 것 같은 선택의 순간이 왔을 때, 나는 주저하지 않고 선택할 수 있다. 남들이 봤을 때 굳이 그렇게까지 해야 해?라는 때에도 내가 맞다고 생각하면 과감하게 실행할 수 있다. 설령 내 선택이 잘못된 선택이었다고 해도 후회하진 않는다. 다시 방법을 찾으면 된다. 그땐 그게 최선이었고 나는 옳은 선택을 한 거라 믿기 때문이다.

디자인 학원 선생님

취업을 하기 위해 포트폴리오를 만든 디자인 학원에서 원장 선생님과 상담을 하는 시간이었다. 이런저런 이야기를 하다가 원장 선생님이 조심스럽게 제안했다. 학원에서 일할 생각은 없냐고. 학생들을 가르치는 선생님이 되는 건 내 계획에 없던 일이라 당황했다.

"지금 네가 몇 살이지?"

"저 지금 스물다섯 살이요."

"그래? 그럼 대학원 준비를 해보는 건 어떠니? 여기에서 일하면서 대학원 진학 준비를 하는 거야. 지금 네가 비전공자니까 대학원에 들어가면 전공자로 업그레이드도 할 수 있을 거야. 일도 하면서 대학원도 다니면 일석이조 아니겠니?"

솔깃했다. 비전공자라는 꼬리표도 떼고 학원에서 일도 하면서 여유시간에 대학원 준비도 한다면 나쁘지 않은 조건이라는 생각도 들었다. 그렇게 나는 디자인 학원에서 가르치게 되었다.

처음에는 가르치는 일이 낯설고 어색했지만 생각보다 금방 적응했다. 디자인 프로그램을 가르치고 디자인 작업물을 섬세하게 피드백해 교정해 주는 일은 재미있고 보람찼다. 포트폴리오 과정을 마무리하고 취직에 성공해 감사하단 인사를 하러

오는 학생들을 볼 때면 참 뿌듯했다. 선생님이라는 직업이 적성이 잘 맞았다. 그러나 처음 목표했던 것처럼 대학원 준비를 하는 것은 쉽지 않았다. 꼭 대학원을 가야겠다는 절박함이 없기도 했고, 나와 또래인 학생들이 바로 취직하는 모습을 계속 보다 보니 나도 취직을 해야겠다는 생각이 점점 커졌다.

'그래, 아직 나는 가르치기엔 너무 젊은 나이야. 디자인 회사를 다니면서 경험을 더 쌓아야 하지 않을까? 가르치는 건 경험을 많이 쌓고 나이를 더 먹은 다음에 하는 게 더 좋지 않을까?'

내 안의 고민이 커졌다. 지금 너무나 편안하고 적성에 잘 맞지만, 나는 조금 더 멀리 바라보고 내 미래를 결정하고 싶었다.

"원장님, 드릴 말씀이 있어요."

그렇게 나는 학원을 그만두고 웹 에이전시에 새로 취직했다.

스물다섯, 자취하기 좋은 나이

집에서 왕복 4시간 거리에 위치한 학원에서 일하게 되면서, 나는 자연스레 자취를 시작했다. 보증금 1000만 원에 월세 35만 원. 당시 인수인계를 해주시던 선생님의 소개로 구로디지털단지역에서 방을 구했다. 홍대입구역까지 지하철로 일곱 정거장 걸리는 적당한 거리였다.

자취방에 이사하기 전, 엄마랑 작은 밥솥도 사고 식기도 사고 소소한 용품들을 구매했다. 크게 실감이 나지 않았다. 주말에 엄마 아빠와 같이 이사를 했다. 짐이 많지 않아 그저 구입한 용품들 몇 개만 차에 싣고 갔다. 당시 남동생은 군대에 복무 중이라 함께 가진 못했다. 다 같이 자취방에 짐을 풀고 정리를 했다. 그리고 집 앞에 있는 고깃집에 가서 삼겹살을 구워 먹었다. 그때까지도 크게 실감이 나지 않았다.

밥을 다 먹고 엄마 아빠를 배웅하러 주차한 곳으로 갔다. 아빠가 운전석에 앉고 엄마가 차를 타기 전 나를 쳐다보았다.

"잘 있어. 밥 잘 챙겨 먹고."

말하는 엄마의 눈이 그렁그렁했다. 그와 동시에 나도 왈칵 눈물이 나왔다. 항상 같이 타고 다니던 자동차에 이제는 엄마와 아빠만 탄다. 그리고 나에게 잘 있으라고 한다. 이제 진짜 나 혼자 여기 남는 거구나.

떠나는 부모님의 차를 향해 한참 동안 손을 흔들고 자취방으로 들어갔다. 아무도 없는 빈 방에는 적막함만 가득했다. 나 이제 진짜 혼자 사는 거구나. 앞으로 여기에서 혼자 살아가야 하는 거구나.

그날 자취방 방바닥을 청소하며 많이 울었다. 이상한 기분에 눈물만 자꾸 나왔다. 울며 청소하고 눈물을 닦다가 다시 또 울었다. 그리곤 조금씩 마음을 추슬렀다.

인간은 적응의 동물이라 하지 않는가. 시간이 지나면서 어려울 것만 같았던 자취 생활이 점점 익숙해졌다. 마트에서 장을 보고 맛있는 음식을 해먹었다. 새벽까지 컴퓨터를 실컷 해도 누구 한 명 잔소리하는 사람이 없었다.

'이렇게나 편하다니! 나는 이제 자유다!'

혼자 산다는 것은 외로움과 자유로움이 공존하는 것이었다. 가끔 밤에 무서울 때도 있긴 했지만, 그럴 때면 기무라 타쿠야가 나오는 일본 드라마 한 편 틀어놓고 맥주 한 캔을 마시며 이겨냈다. 엄마 아빠가 보고 싶을 때는 주말에 본가로 내려가 하룻밤 자고 오면 충족이 됐다. 본가에 있을 때 엄마가 잔소리한다 싶어지면 재빨리 서울에 있는 내 집으로 도망갈 수 있어서 좋았다.

지금 돌이켜봐도 자취 생활을 한 건 너무나 잘 한 일이었다.

잘 있어!
그렁
밥 잘
챙겨
먹고..
그렁
이제 진짜
나 혼자 남았다.

회귀 본능

학원 선생님을 그만두고 웹 에이전시에 들어갔다. 그곳은 빛 좋은 개살구 같은 곳이었다. 겉으로 보기엔 너무나 멀쩡하고 그럴듯해 보였지만, 속으로 들어가니 너무나 엉망진창이었다. 일은 많은데 사람들은 계속 그만두는 회사였다. 일이 너무 많아 매일 새벽 2-3시까지 야근을 하다가 택시를 타고 퇴근을 했고 공휴일에도 출근을 했다. 그렇게 인턴으로 지내며 받는 월급은 고작 80만 원이었다. 월세가 35만 원인데! 그래도 월급이 밀리지 않았다면 어떻게든 버텼을 거다. 회사 사정이 어떤진 잘 모르겠지만, 80만 원인 인턴 월급마저도 제때 들어오지 않았다. 아직도 기억나는 순간 하나. 야근하던 어느 새벽, 같이 일하던 인턴 동생과 잔고 대결을 했다.

"나 지금 잔고 15000원이야."

"선배님, 저 보실래요? 전 5000원이에요.."

그리고 우리는 동시에 깔깔깔 웃었다. 속으론 둘 다 울었다.

그리고 그다음 날 오전, 나는 차장님께 가서 지금 월세를 낼 돈이 없는데 밀린 월급을 주시면 안 되냐고 이야기를 했다. 그러자 차장님이 이렇게 말했다.

"그래, 그럼 오늘 너만 먼저 넣어줄게. 대신에 OO (인턴동생)

에게는 비밀로 해."

그 말에 온갖 정이 떨어졌다. 나는 밀린 월급을 다 받은 그날 그 회사를 바로 그만두었다.

회사를 그만두고 한동안은 실연당한 사람처럼 멍했다. 내가 원하던 일을 하긴 했는데, 이상과 현실은 너무나도 달랐던 것이다. 그곳은 차마 어디에도 말할 수 없는 부조리함으로 가득 차 있어서 실망감도 컸다.

나는 자연스레 전에 다니던 학원과 비교를 하게 되었다. 학원에서의 삶은 안정적이었다. 월급도 제때 나왔고 같이 일하던 선생님들과의 관계도 좋았고 밤샘 야근도 없었다. 워라밸이 좋고 내 적성에도 잘 맞았다.

결국 나는 다시 학원으로 돌아갔다. 다시 돌아간 학원은 마치 고향처럼 느껴졌고 나는 전보다 더 열심히 일했다.

금요일 밤마다 홍대에서 상수역까지

다시 돌아간 학원에서의 삶. 시간이 지날수록 학원에서 같이 일하는 선생님들과의 관계도 무르익었다. 매일 점심을 뭐 먹을까 고민하며 홍대 맛집을 찾아다녔다. 다 같이 아무 말 대잔치를 하며 식후 커피를 들고 홍대 거리를 누볐다. 즐거운 시간들이었다.

매주 금요일 저녁 반 수업을 마치고 퇴근 길에 다 같이 홍대 밤거리를 걸었다. 홍대입구역에서 상수역까지 가는 길은 번쩍번쩍했다. 구경할 거리도 많았고 카페에서 간단하게 한 잔씩 마시기도 하고 감자튀김이나 디저트류를 사들고 먹으며 돌아다니기도 했다. 그리고 꼭 마지막엔 상수역 지하철 내려가는 입구 앞에 서서 한참 수다를 떨었다.

지금 돌아봐도 그때의 기억이 참 좋다. 그때 그 밤거리의 분위기, 온도, 습도. 그냥 모든 게 다 좋았다. 나는 젊었다. 젊은 홍대 거리를 걷기 딱 좋은 나이였다.

20**년 9월 9일

스물여섯, 친구가 같은 회사에 다니는 동료를 소개해 주었다. 우리는 신천역(지금의 잠실새내역) 4번 출구에서 처음 만났다. 소개팅남은 작은 땡땡이가 그려진 하얀 셔츠를 입고 있었다. 같이 닭갈비를 먹고 카페에 갔다. 이런저런 이야기를 나누다가 노래에 대한 주제가 나왔다.

"노래 잘 하세요?"

"못하지는 않죠."

지금 생각하면 얼마나 자랑하고 싶었을까 싶다. 나도 노래를 잘하지는 않지만 좋아했기에 바로 노래방에 가게 되었다.

소개팅남은 노래를 잘 불렀다. 고음도 잘 올라갔다. 고등학생 때 밴드부에서 보컬을 했다고 이야기했다. 음, 그렇구나.

그 뒤로 몇 번의 만남 뒤에 우리는 9월 9일에 사귀게 되었다. 우리는 실컷 연애했다. 여의도 불꽃축제도 가고 신기한 이색 데이트 코스 체험도 해보고 남산타워도 가고 유람선도 탔다. 스물여섯의 나와 스물일곱의 남자친구. 딱 연애하기 좋은 나이었다.

우리는 개그코드가 잘 맞았고 대화도 잘 통했다. 좋아하는 음식도 비슷했다. 해산물보다는 고기를 좋아했다. 둘 다 곱창을 좋아해서 곱창구이 집을 자주 다녔다. 나는 남자친구와 맛집 찾아 다니는 재미를 알게 되었다.

그렇게 사계절이 네 번이나 지나갔다. 우리는 한 번도 싸우지 않고 4년을 만났다. 그리고 2015년 10월 10일, 결혼했다.

비 내리던 어느 날

소남이와 저녁을 먹고 나오는데
갑자기 비가 내렸다.
어? 비 오네
쏴아
그러자 소남이가 입고있던
재킷을 벗고 말했다.
?
들어와, 같이 뛰자!
영화 클래식의 한 장면처럼
우리는 뛰었다.
앗, 차가워!

이상하게 그날 밤 그 순간이
지금도 기억에 선명하다.
앞으로도 기억하고 싶은
우리의 순간이다.
호로록

교환일기와 커플 홈페이지

웹 디자이너와 웹 프로그래머라는 직업을 갖고 있던 나와 남자 친구는 커플 홈페이지를 만들었다. 지금은 사라진 도메인이지만 99shake.com이라는 주소를 사용했고, 잡담도 나누고 같이 하고 싶은 일정을 계획하기도 했다.

우리는 위클리 노트를 사서 교환일기도 썼다. 만나는 날에 교환일기를 들고 와서 건네주면, 다음 만나는 날까지 상대방이 쓰는 방식이었다. 물론 교환일기를 쓰자고 먼저 제안한 건 나였다. 그 당시 남자친구가 군말 없이 잘 써오길래 교환일기 쓰는 걸 좋아하는 줄 알았으나, 결혼한 뒤에 그가 얼마나 노력했던 건지를 깨달았다. 지금은 교환일기 다시 부활하자고 농담하면 진저리를 치며 거절한다.

지금도 집 한구석 보관함에 교환일기장이 담겨있다. 각종 기념일의 편지들과 함께 하나의 추억이 되어 남아있다. 가끔 심심할 때면 그때의 교환일기를 들춰보는데 옛 기억이 물씬 난다. 교환일기장에는 연애 초반의 풋풋한 감성이 손글씨와 함께 잔뜩 묻어있다.

커플 홈페이지는 도메인과 호스팅을 만료하면서 백업해 하드에 저장해놓았었는데, 어쩌다 실수로 지워진 건지 어느 순간 사라져버렸다. 아쉽다.

우리의 디지털 추억은 증발해버렸지만 아날로그 추억은 그대로 남아있다. 이래서 아날로그를 무시할 수 없다니까.

면접 마지막 멘트

면접을 보고 마지막으로 할 말 없냐고 물었을 때 나는 이렇게 말했다.

"옷깃만 스쳐도 인연이라고 하는데, 이렇게 면접을 본 것도 하나의 인연이라고 생각합니다. 결과에 상관없이 귀한 시간이었습니다. 감사합니다. "

누군가는 오글거린다고 할 수도 있지만, 나는 진심이었다. 그리고 이런 생각은 지금까지도 이어지는 것 같다.

광활한 우주 속 먼지보다 작은 우리들. 같은 나라에서 태어나고 같은 시대를 살아가는 것만으로도 이미 인연인 건 아닐까? 그저 면접을 보러 가서 잠시 만나 대화를 한 것뿐이지만, 사실 이 또한 쉽지 않은 확률로 만난 인연이라 생각한다.

살아가며 만나는 수많은 사람들과 교차하는 시간들. 고맙고 소중한 시간들이다. 앞으로도 나는 작은 인연에도 감사하며 살아가고 싶다.

그 시절 그 회사 사람들

학원 선생님으로의 삶을 정리하고 다시 직장인이 되었다. 꽃피는 아름다운 봄 같은 나이였다. 20대의 끝자락. 그리고 30대의 시작을 그 회사에서 보냈다. 디자인 회사에서 일하며 알게 된 좋은 사람들. 지금 돌아보면 그 시절 그 사람들이 좋았고, 내 나이가 좋았다.

대화가 잘 통한다는 것만큼 즐거운 일이 어디 있을까? 관심사가 비슷한 또래들이 많았다. 다 같이 점심시간에는 맛집 찾아 가로수길을 헤매고, 야근하다가 야식 시켜 먹으며 무한도전 이야기를 하며 깔깔댔다.

디자인 업무의 특성상 일하며 음악을 듣는 것에 큰 제약이 없다 보니 어느 날은 〈90년대 만화 주제가〉를 틀어놓으며 다 같이 따라 부르며 일하기도 했다. 또 어느 날은 〈무한도전 가요제〉를 틀고, 다들 흥에 겨워 고개를 까딱거리며 즐겁게 일했다. 발로 박자 맞추는 사람도 있었다.

회사이지만 동아리 같은 분위기였다. 쉬는 시간에 다 같이 몰려다니며 커피를 마시고 유행하는 드라마나 영화 이야기를 하며 시간을 보냈다. 재미있었다.

개성 강한 직원들이 많아서 가끔은 시트콤 속에 들어와 있는 것 같기도 했다. 나한테 매일 중국어 욕을 알려달라는 직원도 있었는데, 나중엔 '뻔딴(笨蛋:바보란 뜻)을 다들 유행어처럼 사용했다. 돌아보니 추억이다.

나는 회사를 다니며 결혼을 하게 되었고 결국은 퇴사를 했다. 내가 퇴사를 한 뒤로 다들 줄줄이 퇴사를 하고 각자의 삶을 찾아 떠났다. 그 시절 그 사람들과 함께 일하던 시절은 이제 추억 속으로 사라졌다.

3부 '나'를 이제야 알아가는 30대

아직 결혼도 안했는데 내년에 애를 낳는다고요?

2015년 초. 새해를 맞아 몇몇 회사 직원들과 사주를 보러 사주카페에 갔다. 어차피 재미로 보는 거였지만, 그래도 괜히 떨렸다. 사주 봐주시는 할아버지께서 내 생년월일과 시간을 적으며 계산을 하더니 이렇게 이야기하셨다.

"내년에 애 낳겠는데?"

"..네? 저 아직 결혼도 안 했는데요?"

그 당시 남자친구는 있었지만 결혼 생각은 전혀 없었기에 깜짝 놀랐다. 아직 결혼도 안 했는데 애를 낳다뇨.. 사주 할아버지께서는 내 사주에 아들 하나 딸 하나가 있다고도 하셨다. 미처 생각 못 한 자식 이야기에 많이 당황스러웠다.

그러나 정말 신기하게도 사주가 맞았다. 나는 그 해 10월에 결혼을 했고 다음 해 10월에 딸을 낳았으니 말이다. 그리고 놀랍게도 둘째를 아들로 낳았으니, 아들 하나 딸 하나가 있다는 사주에 딱 들어맞았다.

투덜투덜 프러포즈 에피소드

한창 결혼 준비를 하던 시기였다. 예비 신랑인 남자친구가 이렇게 말했다.

"아는 회사 동료가 사진전을 열었는데 보러 오래."

"어디서 하는데?"

"대학로."

그 당시 이런저런 일로 바쁘던 시기라 너무 멀다고 생각했다. 오빠만 보러 다녀오면 안 돼? 하니깐 안된단다. 근데 사진전이라니 회사에 사진 잘 찍는 동료가 있었나 보네?

"전시 이름 뭐야? 검색해 보게."

"어, 그냥 유명하지 않은 전시야. 작게 하는 거라."

그러면서 남자친구는 티켓을 받았다며 보여주었다. 나까지 꼭 가야 되나? 귀찮은데.

그럼 빨리 다녀오자, 하고 편한 옷을 입는데 남자친구가 말했다.

"원피스에 구두 신으면 안 돼?"

그러자 갑자기 기분이 나빠졌다. 구두 신으면 발 아픈데 왜 내

옷차림까지 이래라저래라지?

원하는 대로 원피스를 입고 구두를 신었다. 그리고 우리는 차를 타고 잠실에서 대학로까지 갔다. 가깝지 않은 거리였고, 나는 뭔가 기분이 나빠서 가는 내내 투덜거렸다.

"뭐 얼마나 대단한 전시이길래 원피스에 구두까지 신고 가야 되는 거야?"

대학로에 도착했다. 주차를 하고 남자친구를 따라 작은 전시관으로 향했다. 계단을 올라가서 문을 열어 들어가려는데 남자친구가 말했다.

"나 화장실 좀 갔다 올게, 먼저 들어가 있어."

뭐야, 나 혼자 들어가라니! 뻘쭘하게!

조심히 문을 열고 쭈뼛쭈뼛 들어갔다. 작은 전시관에 아무도 없었다. 벽에 붙어있는 사진을 흘깃 봤다.

"어?"

나와 남자친구의 사진이 벽에 가득 붙어있었다. 아.. 그제야 나는 깨달았다. 프러포즈 하려고 그러는구나!

사진을 둘러보는데 음악 반주가 흘러나왔다. 돌아보니 거울에 비친 남자 친구가 잔뜩 긴장한 표정으로 마이크를 들고 서 있었다.

"난 행복합니다. 내 소중한 사랑 그대가 있어 세상이 더 아름답죠..“

이재훈의 〈사랑합니다〉 노래를 부르며 남자 친구가 나왔다. 지금이야! 무조건 눈물을 흘려야 한다! 안 울면 안 될 분위기였다. 나는 감동의 눈물을 흘렸다.

가운데 위치한 모니터에선 우리의 커플 사진들이 영상으로 흘러나왔다. 와, 이런 건 또 언제 준비했대? 점점 더 감동스러웠다. 풍선은 또 몇 개를 분 거야? 나는 그런 것도 모르고 툴툴대기만 했네.

노래가 끝나자 사회자처럼 보이는 아저씨 한 분이 나와서 간단한 진행을 했다. 남자친구가 그동안 매일 퇴근 후 대학로까지 와서 풍선도 불고, 사진도 붙이고 프러포즈 준비를 했단다. 이렇게 정성 가득 준비를 할 줄은 몰라서 정말 감동을 받았다. 우리는 사회자의 진행 하에 반지를 손에 끼우는 인증샷을 찍었다. 사랑의 서약서까지 받았다. 그리고 가운데 놓인 탁자 위에 세팅된 스테이크와 와인을 먹으며 그날의 분위기를 만끽했다.

"언제 이렇게 준비했어?"

괜히 툴툴대기만 했던 내 모습이 미안해지는 순간이었다. 아, 이래서 원피스와 구두를 요구했구나! 이렇게 인증샷도 찍어야 했으니 말이다.

어쨌든 남자친구의 서프라이즈 프러포즈는 대성공이었다.

2015.9.19, 프러포즈의 추억

앤디 생일에

결혼 후 세 달이 지난 어느 날, 정확하던 생리주기가 맞지 않고 도통 소식이 없길래 임신 테스트기를 해 보았다. 1월 21일, 처음 해 본 테스트기에는 선명하게 두 줄이 떴다.

내가 이날을 잊지 못하고 기억할 수밖에 없는 이유가 있다. 한참 좋아했던 가수 신화의 멤버 앤디의 생일이었기 때문이다. 이제는 예전만큼 불타오르는 덕질을 하지는 않지만, 중학생 때 기억력만큼 강렬한 게 없다. 대뇌에 각인이 된 이 날짜는 아마 내가 90세 할머니가 되어도 선명할 것이다.

앤디 생일로만 기억하던 1월 21일은 이제 첫아이를 임신 확인한 날이 되면서 더욱더 소중한 날짜가 되었다.

내 인생 처음으로 뱃속에 품어본 아기. 그 아기의 존재를 확인한 날. 참으로 감사한 날이다.

두 줄이다!
..!!

독박육아의 시작

첫째 아이가 돌이 지난 후, 웹 프로그래머로 일하던 남편이 시부모님께서 운영하시는 과일 가게로 들어가게 되었다. 가락시장 도매 과일 가게의 특성상 새벽 경매를 위해 낮과 밤이 바뀐 생활을 해야만 했다. 매일 새벽 12시에 일어나 1시 출근을 하고, 다음날 오전 11시쯤 퇴근을 하는 것은 남편에게 쉽지 않은 일이었다. 설과 추석 명절을 제외하고는 쉬는 날도 없고, 연차는커녕 토요일까지 일을 나가야 했다. 낮 생활에 적응된 신체리듬을 밤 생활로 바꾸는 건 쉬운 일이 아니었다. 남편은 우스갯소리로 말하곤 했다.

"나는 이제 미국 시간으로 사는 거야."

같이 살지만 시차가 있는 삶이었다. 새벽 출근을 위해 남편은 오후 5시면 잠을 자야 했기에, 아이와 저녁을 먹고 씻기고 재우고 다음 날 아침 먹여 등원하는 일은 온전한 나의 몫이 되었다.

그래도 첫째 아이 한 명만 키울 때는 할만했다. 문제는 둘째를 낳고 나서였다.

둘째 아이를 낳고 조리원을 퇴소하면서, 시도 때도 없이 우는 신생아를 보는 일이 버거웠다. 한창 배변 훈련하느라 손이 많이 가던 30개월 첫째 아이를 케어하면서 신생아를 보는 일은 손이 열 개라도 모자랐다. 하지만 어쩔 수 없는 일이었다.

매일 저녁 두 아이를 먹이고 씻기고 재우는 일은 혼자서 다 하기엔 벅찼다. 조금만 더 버티자, 둘째가 통잠만 자도 괜찮을 거야, 스스로를 다독이며 그저 하루를 견뎌내는 방법뿐이었다.

남편이 회사를 계속 다녔다면 퇴근한 남편과 같이 저녁을 먹고, 역할 분담을 해서 아이를 씻기고, 잠도 같이 재웠겠지? 나는 왜 그 평범한 보통의 저녁 시간을 가질 수 없게 된 걸까? 몸이 힘들 때는 아쉬운 마음이 커지곤 했다.

그렇게 나는 견뎠다. 시간은 느리지만 빠르게 흘렀다. 둘째 아이가 돌이 지나면서 점점 수월해졌고, 아이들이 예쁜 짓을 하는 날들이 많아져 웃음을 되찾았다. 혼자서 아이 둘을 온전히 보다 보니 아이들에 대해 모르는 것이 하나도 없었다.

지금은 이 생활에 완벽 적응했다. 아이들이 오전에 등원 등교를 하면 퇴근한 남편이 오고, 둘이서 오붓하게 평일 점심 데이트를 하기도 한다. 육아를 분담하느라 싸울 일도 없다. 내가 혼자 케어하는 일은 일관성 있는 육아를 할 수 있다는 장점도 있어서, 남편과 육아 가치관 충돌로 논쟁을 벌일 일도 크게 없었다.

힘든 시기는 반드시 지나간다. 그리고 그 과정에서 얻게 되는 것들도 많다. 잘 견뎌내다 보면 좋은 날이 또 온다.

매일 정신없이 흘러가던 그 시절

살기 위해 그림일기를 그렸다

온종일 집에서 육아만 하다 보면 나 자신을 잃어가는 기분이 들곤 했다. 매일을 육아도우미, 가사도우미로 살아가는 것만 같았다. 차라리 도우미는 돈이라도 받지, 나는 무보수로 무한 노동력을 제공하는 것 같았다.

'나'를 찾기 위해 펜을 들었다. 그리고 아이패드에 육아 일기를 그려 올리기 시작했다. 그러자 나와 비슷한 처지의 사람들과 공감대를 형성하며 자연스레 소통하게 되었다. 나만 그런 게 아니었구나! '좋아요'와 댓글을 보며 미소 짓는 순간이 늘어났다. 긴 육아 시간 중 극히 짧은 시간이었지만 그 순간들 덕분에 나의 육아에 활력이 더해졌다. 아이를 보는 일은 더 이상 괴로운 일이 아니었다. 아이와의 에피소드를 기록하는 것에 재미를 붙이게 되니 자연스레 즐거운 육아를 하게 되었다.

가장 바쁜 시절이었지만, 가장 열심히 그렸다. 그래야 숨을 쉬는 것 같은 기분이었다. 내가 나로서 인정받는 기분도 들었다. 누군가의 엄마가 아닌, '블루챔버'라는 닉네임으로 불리는 것은 행복한 일이었다.

아이가 자라면서 육아 일기에서 '나'의 일기를 기록하는 것으로 점차 초점을 옮겼다. 가끔 그림을 그리고 싶은 날엔 일러스트를 한 장씩 그렸는데, 점점 나만의 스타일과 개성이 만들어지며 하나의 포트폴리오로 구성되는 것을 느꼈다. 이 얼마나 긍정적인 효과일까? 나만의 정체성을 굳혀가고, 앞으로 나의 방향성을 잡아가기에도 참 좋았다. 나는 다양한 시도를 해가며 그림을 그리고, 즐겁게 시행착오를 해나갔다.

'육아하는 엄마'에다가 '그림일기 그리는 작가' 라는 타이틀이 더 붙자, 덩달아 자존감도 올라갔다. 비록 인기가 많은 작가는 아니지만, 꾸준히 그려 올리는 작가라는 자부심도 생겼다. 어느새 천여 개가 넘게 게시물을 그려 올렸고, 팔로워 수보다 내가 올린 게시물 수를 보는 일이 더 뿌듯했다.

지금 나는 앞으로 더 멋진 작가가 되기 위해 밑바탕 작업을 하고 있다. 그림책이나 다른 여러 종류의 책도 만들어 보고 싶고, 일러스트 페어도 나가고 싶고, 그림을 많이 그려서 전시도 열어보고 싶다. 아직은 그런 것들을 하기엔 아이들 케어를 대신해 줄 사람이 없어서 불가능하지만 포기하지 않는다. 아이들이 점차 더 자라나면 분명 가능한 타이밍이 올 것이라 믿는다. 그래서 지금은 여유로이 준비하는 시간이라고 생각한다. 지금 내가 하고 있는 선에서 꾸준히 최선을 다해보는 수밖에 없다.

차곡차곡 쌓아나가다 보면 분명 내 날개를 펼칠 때가 올 거라 믿는다. 그날을 위해 오늘도 열심히 기록해 본다.

눈물 많은 아줌마

아줌마가 되면 잘 울지 않을 줄 알았지.

아줌마는 어른이니까.

그런데 어른이 되고 아줌마가 되었는데도

나는 아직도 툭하면 운다.

가끔은 그게 창피해서 안 울어보려고 노력했는데

내 마음처럼 안 된다.

아이를 키우는 아줌마가 되어보니

감정에 더욱더 솔직해진다.

눈물 참는 법보다

빨리 울고 털어버리는 법을 알게 되었다.

내 일로도 울고,

아이들 일로도 울고,

한바탕 울고 나면 시원해진다.

개운해진다.

하루를 다시 시작할 힘이 생긴다.

기뻐서 울고
엄마사랑

힘들어 울고
40°C

잘 우는 어른이.

시절인연

나는 '운명'을 믿는다.

나에게 '우연히'는 곧 '운명'이다. 우연히 마주치거나 알게 되는 사람들이나 사건들은 사실 나에게 주어진 운명이었던 게 아닐까 생각한다. 그러다 보니 나쁜 일이건 좋은 일이건 그저 운명이었구나 생각하며 흘려보낼 수 있다.

내가 태어나고 자라고 어른이 되고 엄마가 되면서 마주치는 수많은 사람들. 우리는 각자의 삶이라는 연장선에서 하나의 점으로 만난다. 때로 그 점은 한동안 계속 이어지기도 하고, 한 번만 마주치고 지나가기도 한다. 그리고 한 번 헤어졌던 점을 한참이 지난 어느 날 갑자기 다시 만나기도 한다. 미리 만나자고 정할 수도 없다. 이것은 알 수 없는 일이다.

그래서 나는 그 점이 되는 순간들이 너무나 소중하다. 현재 만나는 인연들에 감사하고, 잘 지내고 싶다. 앞으로 어떤 식이 되든 소원해지고 기억에서 잊힐 수도 있겠지만, 일단은 현재의 인연에 최대한 충실하고 싶다.

살아가며 만나는 수많은 인연들.
앞으로의 난 어떤 사람들을 만나며 살아갈까?

어쩌다 보니 애 둘 엄마

고등학생 때 친구들과 미래의 남편에 대한 이야기를 나눈 적이 있었다. 사실 남편은커녕 서로의 남자친구도 상상이 안되긴 했다. 누굴까 상상하는 것만으로도 너무나 웃기고 재밌었다. 그 때 당시 나에게 결혼이라는 건 참 멀고 먼 단어처럼 느껴졌다.

그런데 지금 문득 돌아보니 결혼 9년 차, 애 둘 엄마다. 고등학생 시절의 내가 지금의 나를 보게 된다면 무슨 말을 할까? '대박'이라고 할지도 모른다. 과거로 돌아가 그 시절 나에게 귀띔이라도 해주고 싶지만, 아쉽게도 아직 타임머신이 발명되지 않았다.

요즘의 루틴은 이렇다. 아침 7시에 일어나 EBS를 틀고 아이들 아침을 먹인다. 아침식사는 비교적 간단한 것으로 해먹인다. 계란말이나 김밥을 먹일 때도 있고, 떡국을 끓이기도 한다. 매일 같은 메뉴가 겹치게 하진 않는다. 아침을 다 먹을 때쯤이면 8시에 〈딩동댕 유치원〉이 나온다. 그걸 보며 나는 이제 옷을 갈아입을 시간이라고 잔소리를 한다. 옷을 입으면 양치와 세수를 시키고 엘리베이터 가는 버튼을 눌러준다. 그리고 첫째가 현관을 나가기 전에 포옹을 꼭 한다. 그렇게 8시 반쯤 첫째가 학교로 등교를 하면, 이제는 둘째 등원 준비를 한다.

여섯 살인 둘째는 워낙 자기 주관이 뚜렷해서 지금 하는 놀이를 중간에 끊고 나가는 것을 매우 싫어한다. 그래서 어르고 달래고 설득시켜야 나갈 준비를 할 수 있다. 요즘엔 알파벳 로어라는 괴물 캐릭터에 빠져서 매일 A부터 Z까지 그린다. Z까지 다 못 그리고 나가는 날엔 어찌나 짜증을 내고 심술을 부리는지. 쪼끄만 꼬맹이 비위 맞춰주는 게 쉽지 않다.

둘 다 보내고 나면, 첫째 영어학원에 가방을 가져다 놓고 집으로 와 집안 정리를 한다. 빨래도 하고, 반찬을 만들기도 한다. 여유가 있는 날엔 도서관에 가서 아이들 볼 책들을 잔뜩 빌려온다. 그러다 보면 오전 11시쯤 남편이 퇴근한다. 어영부영 점심 준비를 하고 차려서 같이 먹고 치우고 나면 1시가 넘는다. 어느새 첫째 아이의 하교 시간. 그래도 요즘은 첫째가 하교하자마자 바로 알아서 학원을 가기 때문에 여유가 생겼다. 그 여유시간 동안 그림을 그리기도 하고 지금처럼 책 작업을 한다. 그 여유도 잠시, 2시 반이 되면 학원을 마친 첫째가 집으로 온다. 그럼 간식을 먹으며 숙제를 미리 하게끔 하고, 숙제를 다 했으면 자유시간을 준다. 그림을 그리거나 만들기를 하기도 하고, 게임을 하거나 TV를 봐도 된다. 놀이터에 나가서 자전거를 타고 오기도 한다.

그러다 보면 어느덧 4시, 둘째의 하원 시간이다. 둘째 하원 후 놀이터도 빠질 수 없다. 한 시간 정도 놀다가 집에 오면 아이들을 씻기고 저녁 식사 준비를 한다. 둘째도 숙제를 한다.

적은 양의 숙제여도 여섯 살짜리 애 붙잡고 몇 장 푸는 게 쉽지 않다. 그래도 습관을 잡아놓는 게 좋은 것 같아서 꾸준히 하고는 있다. 6시에 저녁을 먹은 뒤 자유 시간을 갖는다. 자유 시간에 각자 하고픈 것들을 하고 놀다 보면 어느새 9시가 가까워진다. 그러면 이제 또 양치를 하고 방으로 들어가 잠을 잘 준비를 한다. 잠자리 독서는 하는 날도 있고 안 하는 날도 있고, 들쑥날쑥이다. 더 놀고 싶어 하는 아이들을 달래며 재우고 나면 어느새 10시다. 사실 이 시간부터가 나 혼자 오롯이 즐길 수 있는 때다.

예전엔 어떻게든 이 시간을 활용하려고 애썼는데, 요즘은 몸이 피곤한지 자꾸 아이들과 같이 잠이 들어버린다. 자다가 문득 눈을 뜨면 새벽 3시가 넘어가서, 에라 모르겠다 하고 그냥 더 잔다. 그러다 보면 아침 7시에 눈이 자동으로 떠진다. 그렇게 다시 새 날이 오고 하루의 시작이다.

이것이 아이 둘을 키우며 살아가는 나의 일상이다. 지금은 이 루틴이 너무나 평범하고 당연하다. 앞으로 자라나는 아이들에 맞추어 조금씩 변하지 않을까 싶다.

지금 애 둘 엄마의 삶에 충실히 하루를 보내고 있는 내가 자랑스럽다. 앞으로도 지금처럼 나에게 변화하는 라이프스타일에 맞추어 잘 살아가 보고 싶다.

장롱에서 나온 운전면허증

대학생 때 1종 보통으로 트럭을 몰며 운전면허를 땄다. 초반에 아빠 차로 연습을 몇 번 하다가 운전의 필요성을 느끼지 않게 되면서 점차 운전대를 잡지 않게 되었다.

아이들 등 하원을 웨건을 끌며 했다. 비가 오나 눈이 오나, 집에서 걸어서 15분 걸리는 거리를 웨건으로 등하원했다. 비가 너무 많이 와서 온몸이 다 젖은 날엔 운전을 해야 할까 고민했다. 둘째를 낳고 다시 운전 연수를 받았지만, 운전이 무서웠다. 운전에 자신이 없다 보니 대중교통이나 택시 등의 대체 수단을 택하고 유모차나 웨건을 끌고 걸어 다니는 식으로 몸으로 때웠다.

그러다가 첫째가 초등학교 1학년이 되어서야 다시 운전을 시작하게 되었다. 남편이 새 차를 뽑으며, 자연스레 기존 차가 내 차가 되었다. 운전 연습을 하기 좋은 찬스였다. 시어머님이 운전 연수를 해주셨는데, 운전에 대한 두려움을 없앨 수 있도록 다정하게 알려주셨다.

그렇게 운전을 다시 시작한 지 1년이 지났다. 나는 아이들을 태우고 고속도로를 타서 친정집에 다녀오기도 했고, 대중교통으로 가기 애매한 거리를 언제든 차로 편하게 갈 수 있게 됐다. 초반에는 운전대를 잡는 것만으로도 겁이 났는데, 이제는 운전석에 앉아있는 게 제법 편안해졌다. 음악을 들으며 운전을 하는 것도 얼마나 즐거운 일인지 이전에는 미처 알지 못했다.

무섭지만 포기하지 않고 다시 운전을 한 내가 자랑스럽다. 몇 번 차를 긁어먹는 해프닝이 생기기도 했지만, 이 또한 경험이었다. 아이들이 엄마 차 타고 놀러 가고 싶다고 말하는 날도 있다. 운전을 하게 되니 짐 가득 싣고 아이들과 어디든 자유롭게 떠날 수 있다. 더 일찍 했으면 좋았겠다, 생각이 들기도 하지만 지금이라도 하게 되어서 참 다행이다.

창피함에 맞서는 방법

무언가 새로운 시도를 할 때 나를 가로막는 건 바로 '창피함'이다. 처음 그림일기를 그려 올렸을 때도 그랬다. 부족한 그림 실력이란 걸 그리면서도 스스로 느꼈기에, 용기 내서 온라인상으로 업로드한 뒤에도 부끄러운 마음에 다시 삭제하곤 했다.

그러다 어느 순간 그냥 올리기 시작했다. 부끄럽긴 하지만 지우지 말아야겠다고 다짐했다. 내 안의 완벽주의를 버리지 않으면 나는 결국 아무것도 올리지 못할 거란 생각이 들었기 때문이다. 마음을 내려놓고, 기대치도 내려놓고, 그냥 올리기 시작했다.

마음에 안 들면 새로 그려서 더 올렸다. 그렇게 하면 다소 부끄러운 이전 그림은 자연스레 밑으로 내려갔다. 매일 그려 올리다 보니 점점 그림 실력이 늘었다. 미처 의식하지 못하다가 이전 그림을 살펴보면 그때보다 훨씬 늘어난 그림 실력을 체감하게 되었다. 물론 아직도 부족한 게 많긴 하지만.

그렇게 나는 '창피함'에 맞서는 법을 자연스레 배웠다. 창피하면 다음에 또 시도하면 된다. 그럼 창피했던 것들은 밀려난다. 그리고 나의 기록이 되고 얼마나 발전했는지를 볼 수 있게 된다.

책을 쓰는 일도 마찬가지다. 2년 전에 육아일기를 모아서 독립

출판으로 〈파란방 육아일기〉라는 책을 출간했다. 사실 내 마음에 100% 들지는 않았다. 이전 기록들을 있는 그대로 엮어서 내다보니 그림에 들어있는 손글씨들의 가독성은 떨어지고 그림 크기도 작다 보니 책을 보기가 불편했기 때문이다. 그래서 한동안 책을 내고도 부끄러운 마음이 들었다.

하지만 아이들이 너무나 내 책을 좋아하는 것이었다. 자기의 이야기가 나와서 그런 걸까? 지금도 종종 책을 꺼내와 책장을 넘기며 꺄르르 꺄르르 웃는다. 그런 모습을 보다 보면 부끄러웠던 마음은 사라지고 뿌듯함만 남는다. 많이 부족하지만 그래도 책 만들기 잘했다는 생각이 드는 것이다.

그래서 이번에 또 두 번째 책을 만들게 되었다. 이 책도 낸 다음에 부끄러운 마음이 들지도 모른다. 하지만 그러면 더 업그레이드해서 세 번째 책을 내면 되지 않을까? 그러다 보면 점점 더 퀄리티가 높은 책을 낼 수 있게 되지 않을까?

중요한 건 창피함을 이겨내고 꾸준히 도전하는 나 자신이라 생각한다. 지금 나의 부족함을 이겨낼 방법은 계속 시도해 보는 것이다. 그러다 보면 100%는 아니어도 점점 완벽에 가까워질 것이다. 나는 그렇게 믿는다.

삶이란 뭘까

매일 습관처럼 생각한다.

삶이란 뭘까.

나는 왜 태어났을까 고민도 해 본다.

내 삶의 이유는 뭘까.

명쾌한 정답은 없다.

하지만 고민하고 또 고민한다.

삶이란 그저,

그 이유를 찾아가며 살아가는 것.

정답이 없단 걸 알면서도 헤매는 것.

그냥,

나에게 주어진 시간 동안 살아가는 것.

삶이란.. 뭘까?
삶이란.. 뭘까?
삶이란.. 뭘까?

진심을 담아 솔직하게

나는 '진심'의 힘을 믿는다. 진심을 담아 솔직하게 이야기하는 것만큼 중요한 것은 없다고 본다. 상대방이 내 마음을 알아주지 않더라도 꾸준히 진심으로 대하다 보면 결국에는 알게 된다. 아이들을 대할 때도 마찬가지다. 솔직하게 진심을 담아 이야기하면 아이들도 다 안다.

짧은 순간이어도 진심으로 대하기. 상대방의 말에 집중하고 경청하기. 진심으로 그 사람의 삶을 응원하기.

그러다 보면 나 자신도 행복해진다. 미소 짓게 된다.

어떤 할머니가 되고 싶냐면요

가끔씩 상상한다. 내가 나중에 나이를 많이 먹은 할머니가 된다면, 어떤 할머니가 되어 있을까?

나는 눈빛이 초롱초롱한 할머니가 되고 싶다. 항상 호기심 어린 눈으로 바라보고, 열정적으로 도전해 보고, 실패해도 웃어넘기며 또 새로운 시도를 해보는 그런 할머니가 되고 싶다. 나이가 들어도 무언가 창의적으로 만드는 사람이 되고 싶다. 배움을 두려워하지 않는, 그런 멋진 사람이었으면 좋겠다. 기존의 방식을 고수하며 고집을 부리지 않는 열려있는 사고를 가진 할머니. 젊은 생각으로 젊은이들과도 편하게 대화 나눌 수 있는 그런 할머니 말이다.

외계인 앞에서 자기PR하는 할머니

40

40

에필로그

하루 중 '나'에 대해 생각해 보는 시간은 얼마나 될까?

〈40이 되기 전에〉는 최대한 솔직하고 담담하게 지금까지의 내 이야기들을 적어보는 것에 집중해 보았다. 재미는 없을 것 같지만, 그래도 서른아홉 살의 나로서 최선을 다했다.

이 책을 읽는 분들이 잠시라도 이 책을 통해 자신의 일대기를 되돌아보고 생각해 봤으면 좋겠다. 내 삶이 흘러온 방향을 파악하다 보면 자연스레 '나'에 대해서도 잘 알게 되는 것 같다. 나의 어린 시절부터 지금까지. 그리고 살아오면서 내가 깨닫게 된 것들과 내가 앞으로 나아갈 방향까지. 꼭 한 번쯤 생각해 보셨으면 좋겠다.

작은 한 권의 책이지만 이 책과 연이 닿은 당신에게 감사하며.

2024년 5월 24일, 블루챔버